GARBAGE TIME

DASAN COMICS

매일매일 새로운 재미, 가장 가까운 즐거움을 만듭니다.

한국을 대표하는 검색 포털 네이버의 작은 서비스 중 하나로 시작한 네이버웹툰은 기존 만화 시장의 창작과 소비 문화 전반을 혁신하고, 이전에 없었던 창작 생태계를 만들어왔습니다. 더욱 빠르게 재미있게 좌충우돌하며, 한국은 물론 전세계의 독자를 만나고자 2017년 5월, 네이버의 자회사로 독립하여 새로운 모험을 시작하였습니다.

앞으로도 혁신과 실험을 거듭하며 변화하는 트렌드에 발맞춰, 놀랍고 강력한 콘텐츠를 만들어내는 한편 전세계의 다양한 작가들과 독자들이 즐겁게 만날 수 있는 플랫폼으로 거듭나고자 합니다.

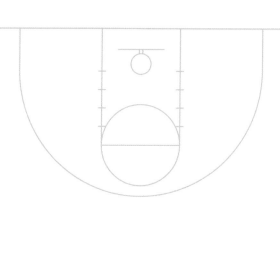

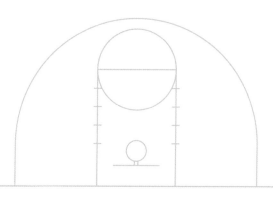

CONTENTS

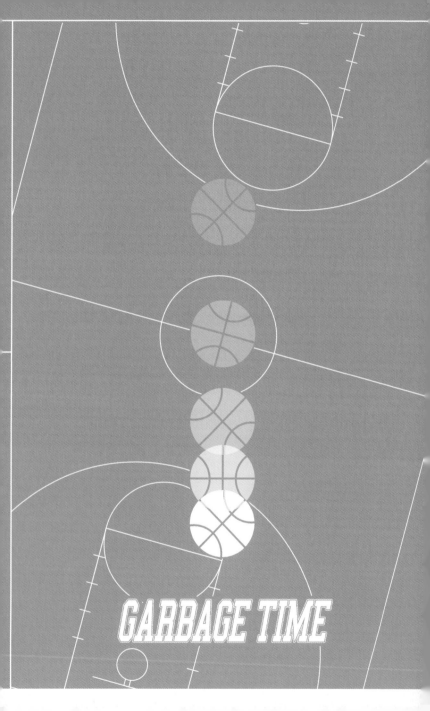

GARBAGE TIME

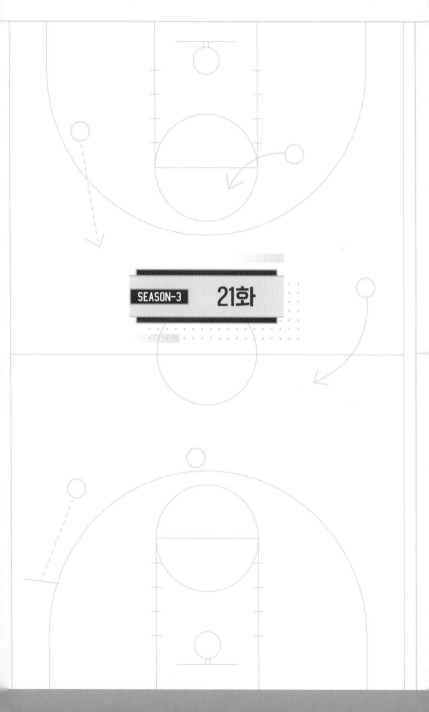

SEASON-3 21화

GARBAGE TIME

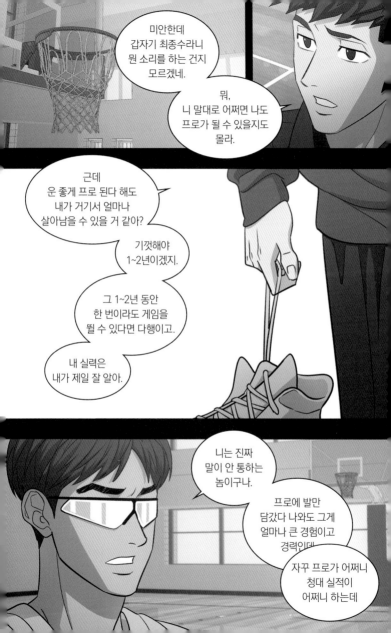

중요한 건
그게 아니라

내가 농구가 아니라
다른 게 하고 싶어졌고

더 이상 농구를
좋아하지 않게
됐다는 거.

그뿐이야.

너도
나 위하는 척
말하는 건 그만해.

JINHOON

야, 황보석 인마
그만 안 해!?

아,
농구화

신을 사람
신어.

거의 새거니까.

오랜 시간
코트 안 세상이 전부였던
기정이에게

분명 쉬운 일은
아닐 테니.

전…

기정이가
왜 그렇게 된 건지
알아요.

기정이는
특별한 애였잖아요.

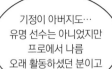

기정이 아버지도…
유명 선수는 아니었지만
프로에서 나름
오래 활동하셨던 분이고

자기 몸만 한 농구공을
자유자재로 다루는데!

그 덕분에
유치원 다닐 때부터
농구 제대로 배워서
초등학교 때 기정이는
진짜 독보적이었고…

초등학교 들어와서
시작한 저희랑은
아예 연습 메뉴도
다를 정도였으니까.

공격 전술도
여태까지 항상
기정이 중심으로
짜여졌고요.

분명

기정이는 생각만큼
특별한 아이가
아니었을지도 모른다.

남들보다
출발이 빨랐던 덕분에
앞서 있었던 것뿐

그만큼
본인의 성장 한계에도
빠르게 도달했다.

농구를 하면 할수록
기정이가 격게 된 것은
그저

더 특별한
아이들의

추월.

......

최종수한테만

게다가…

작년에는
장도고를 만나서

63점을
내줬어요.

그거 때문에
자존심 상하고,
상처받은 게 분명해요.

분명 그때 이후로
어딘가 변해버렸다고요.

......

신체의 성장도,
기술의 성장도 끝나가는
고등부 아이들에게
최종수라는 존재는

확실히

생에 처음
마주하게 된

00 : 45

장도고   진훈정산

4

103 : 74

절망 그 자체다.

무한한 가능성을
꿈꾸던 아이들에게
처음으로

'이 녀석은 내가
잠도 안 자고 농구만 해도
절대 따라잡을 수 없겠다.'

'프로는 이런 애들이 가서
살아남는 거구나' 하는

체념이란 것을
알려주는.

하지만…

아무리 기정이보다
특별한 애들이
많다고 해도

기정이가
저희들 중에
가장 특별한 애인 건
변함이 없어요.

22

근데 그런 애가 농구를 그만두겠다니,

그럼 저희는 대체 뭐가 되는 거예요?

상처받고, 절망한 것은 기정이뿐만이 아니라

우리 아이들 모두가 마찬가지였다.

23

A	진화고	창영고	강문고	복주고
B	기호전자	신유고	선대부고	민우고
C	조형고	지상고	양훈사대	원중고
D	무준고	주용상고	진훈정산	장도고

장도고, 그리고 최종수를
다시 만났을 때

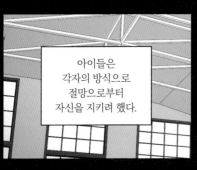

아이들은
각자의 방식으로
절망으로부터
자신을 지키려 했다.

07 : 22

도고   진훈정

4

84 : 53

쳇,

나도 어렸을 때부터
쟤처럼 좋은 환경에서
운동했으면 지금보다
훨씬 잘할 수 있었어.

누군가는
질투,

24

누군가는
동경,

누군가는…

지난번에
장도고를 만났을 때

그냥
기권을 해버렸다면
뭔가 달라졌으려나.
하하

아냐, 어차피
누구든 언젠가는
마주하게 될 일이었어.

그리고

협회장기가
끝난 직후

기정이가
돌아왔다.

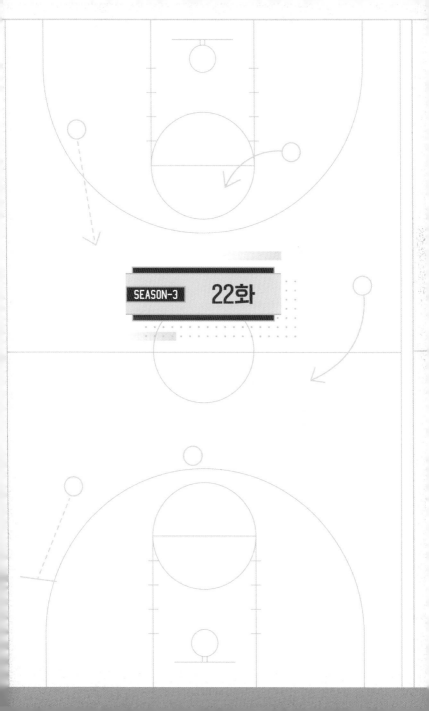

SEASON-3　22화

GARBAGE TIME

그때 기정이의 말을
이해하진 못했지만

나로선 다음 대회에
참가하겠다는 기정이를
마다할 이유가 없었다.

말을 이상하게 하는 걸
보아하니 아직 생각을
정리하지 못한 게 분명해.

이번 대회에서
좋은 성적을 낸다면

기정이의 마음이
분명 돌아올 거야.

흥.

자신만만하게
나가더니 하려던 게
잘 안되는 모양이네.

......

온다!

막아!

해결해!

?

진훈 03 : 13 강문

SCORE   PERIOD   SCORE

23   2   29

굿굿!

나이스 패…!

…스트푸드.

끝나고 패스트푸드 먹어야징.

와 대박.

진훈 00 : 00 강문

SCORE   PERIOD   SCORE

73   4   61

연습 경기라고 강문고가 1학년들을 많이 뛰게 하긴 했지만

그래도 12점 차 승리라니.

이번 대회 진짜 느낌이 좋은데?

쉬다 온 거치고 경기 감각은 안 죽었네.

대회까지 몸 만드는 데만 집중해.

살 오르니까 4쿼터 뛰기 힘들지?

벌크업한 건데요.

짜식 능글맞은 건 여전해, 아주.

야.

이거 도로 가져가.

39

볼 몇 번
주고받고는

그렇게 못된 말을
내뱉던 녀석들이

경기장 질서문란 행위근절

금세 다시

친구가 된다.

걸렸다!

…!

속공!

나이스!

04 : 25

상고   진훈

3

52 : 39

13점 차!

진재유
벌써 28득점째!

안 돼….

아직

그 찝찝한
기분이 뭔지

전혀 모르겠단
말야.

괜찮아.

조금만 더 버티면

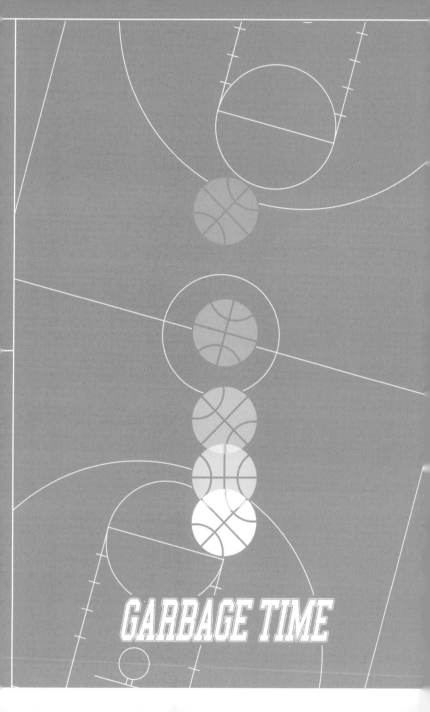

GARBAGE TIME

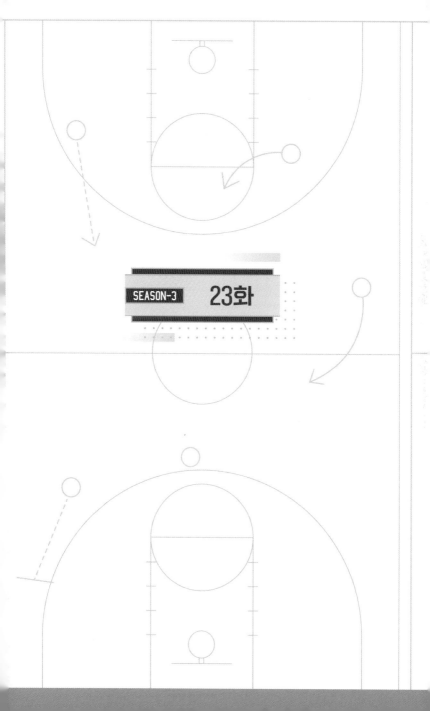

SEASON-3 23화

GARBAGE TIME

태성이…

예상보다
오래 버텨주긴
했다만

슬슬
한계다.

굿샷!

남은 시간에
비해서는

08 : 55

지상고   진훈정산

4

62 : 51

점수 차가
불안불안한데.

감독님!
태성 햄 힘들어 보이는데
슬슬 교체 준비할까요?

저 이제
별로 안 아프니까….

내 말 안 했나?
누구 다치거나
퇴장당하지 않는 이상
안 된다고.

별로 안 아픈 거 같아도
쓸데없이 무리하다
덧나면 우야게?

안 다치는 게
첫 번째다, 인마.

가만 앉아 있어.

니가 굳이
무리하지 않아도

충분히 이길 수 있는 놈들이니까.

충분히 이길 수 있는 거치고는 굉장히 불안해 보이시는데요?

시끄럽다, 인마.

의료지원

13번의 부상 정도가
심하지 않은 거로 알고 있는데…
23번과 교체할 낌새는
보이지 않아.

높이가 낮아지는 것을
우려해서인지 아니면
과하게 선수를
보호해서인지….

뭐, 어느 쪽이든

뛰어!

우리한텐
지금이 기회다.

08 : 40

지상고   진훈정산

4

62 : 53

좋아!

완벽한
속공!

아니…
다들 발이 빠른 것도
성가신데

주전 멤버가
거의 풀타임으로
뛰고 있으면서

4쿼터인 지금까지
팀 전체가
저래 달릴 수가
있다니…

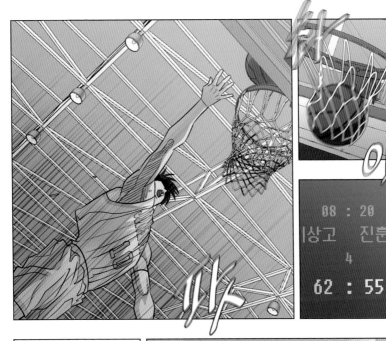

08 : 20

I상고   진훈정

4

62 : 55

지상고 너희들도
나름대로 잘 달린다고
생각했겠지만

우린

달리는 걸론

누구한테도
안 져.

모든 팀들이
진훈정산을 상대로
초반에 점수 차를 벌리려고
하는 이유가 이거지.

스태미나와 스피드의
우월함을 바탕으로 한
경기 후반의 저력.

게임은 져도
4쿼터 박스 스코어는
이기고 만다는 게
진훈정산이다.

정신 차려!

침착하게
공격 성공시키면
쟤들 할 거 없어!

그리고 공태성!
백코트 좀 해봐!

6번이다!

30번이
빨랐다!

기상호
이 도라이가…!

뇌절을…!

아…!

必死卽生

*U파울이다!

진훈정산
자유투 두 개에
공격권까지…!

*Unsportsmanlike foul : 규칙의 정신과 의도 내에서 플레이를 정당하게 하지 않는 경우, 플레이 중에 과격한 신체 접촉을 일으키는 경우, 공격 선수와 상대방 바스켓 사이에 수비 선수가 없는 속공 상황에서 속공을 저지하기 위해 공격자의 뒤 혹은 측면에서 접촉을 일으키는 경우, 4쿼터 혹은 각 연장전 마지막 2분 동안 드로인 상황 시 볼을 심판이 갖고 있거나 선수의 손에 있을 때 수비 선수가 코트에서 상대 팀에게 접촉을 일으키는 경우.

게다가

23번 파울 네 개째야!

희차이.

슬슬 준비하자.

태성이 파울아웃되면 바로 드간다.

옘병.

기껏 똥폼 잡고 얘기했더만….

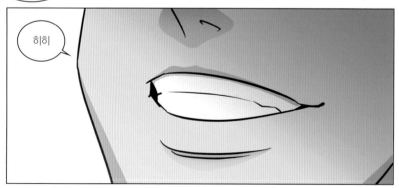

히히

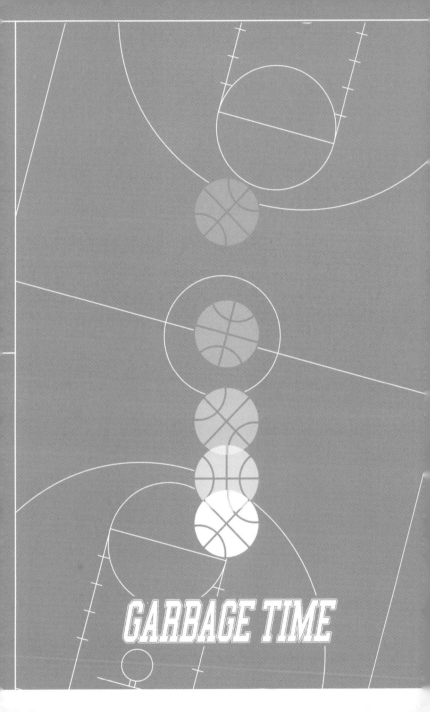
GARBAGE TIME

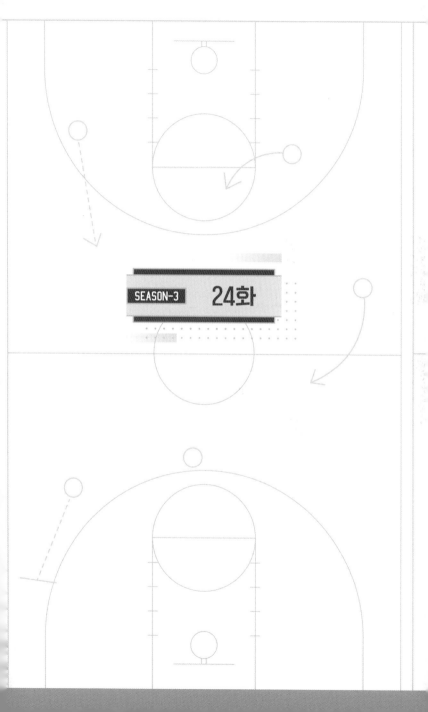

SEASON-3   24화

GARBAGE TIME

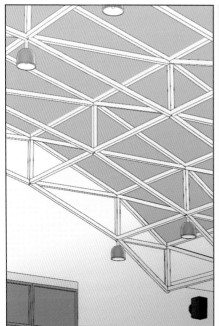

하…

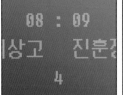

08 : 09

지상고   진훈긴

4

62 : 56

…

상호야.

한 번만 더
나대면 죽는다.

넹.

76

X됐네 진짜.
십몇 점 차였던 걸
한순간에….

어떻게
맨날 똑같냐.

후반에 속공 처먹히고
점수 다 퍼주고
예상을 단 한 번도
벗어나질 않아.

공태성 저X낀
아깐 뭐 오늘 지면
죽네 사네 하더니…

니 설마
빨리 퇴장당해서
들어가서 쉬려고
그 X랄이냐?

뭐래요.
아니거든요?

하소서체
안 쓰냐?

에휴, 뭐
쓰랬다가 말랬다가
염병…

맨날 똑같이 당해도
어쩔 수 없지, 뭐.

지상고 벤치 뎁스도 얇고…
23번 체력이 한순간에
좋아질 리도 없고.

이현성
재도 참…

미리미리 로테이션 돌리면서
애들 체력 관리해줄 것이지
이제 와서 13번 준비시키는 건
대체 뭐람.

장도고등학교

자유투
2구는 실패!

그래도
공격권은 여전히
진훈정산 쪽!

오케이! 엔트리패스 들어갔다!

재혁아, 혼자 해봐!

23번 어차피 4반칙이라 쫄아서 수비 못 해!

쫄아 있긴 누가…!

23번
연속 파울…!

퇴장이다!

아이씨
진짜…!

인상 피라,
인마.

오늘 리바도
많이 잡고 수비도 잘하고
할 만큼 했다.

후반에 똥을
몰아 싸질러서 글치.

걱정 마래이.
오늘 게임은

82

자유투
2구 모두 성공!

07 : 59

지상고　　진훈정산

4

62 : 58

지상고 이번에도
득점 못 하면
슬슬 위험하다!

희차이!
조심하래이!

30번은…

크흠,
뭐 아무튼

들은 대로라면
13번의 슈팅력은
평균에 못 미치는 수준.

빠르다는 걸
제외하곤 딱히
위협이 될 건 없다.

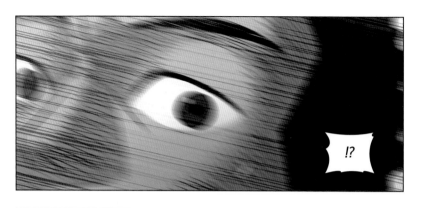

반대편 코너
오픈!

찬스!

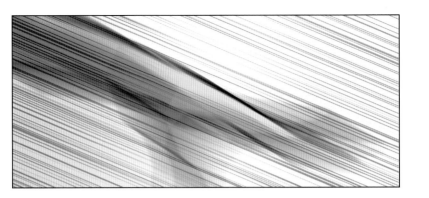

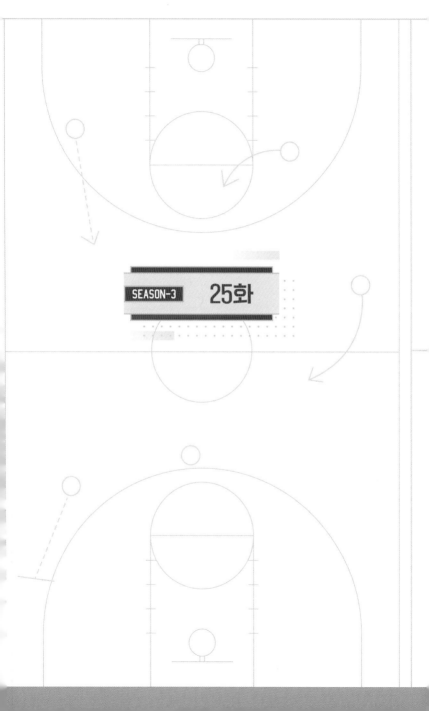

SEASON-3   25화

GARBAGE TIME

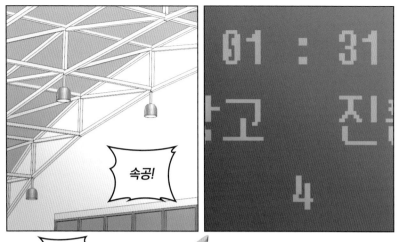

!

나이스
블락!!!

오~

역시 정희찬이 빠르니까
진훈정산 속공이
이전만큼 통하지는 않네.

근데

문제는…

어후씨!

나이스!!!

확실히…
진훈정산의 슈팅 성공률이
높은 건 아닌데

공격 리바운드를
자주 뺏기니까
결국엔 점수를
주게 되네요.

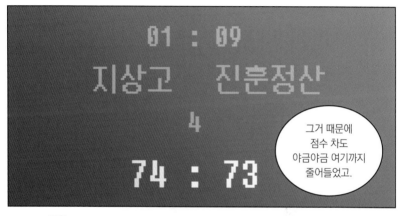

01 : 09

지상고   진훈정산

4

74 : 73

그거 때문에
점수 차도
야금야금 여기까지
줄어들었고.

이제 고작
1점 차…

분명 안 좋은
상황인 건 맞지만

오늘은 이상하게
초조하지도 않고
질 거 같지도 않다.

재유 햄
덕분인가?

진재유 오늘
완전 뜨겁네.

웅성

웅성

지금까지
37점이나 넣었다고.

오늘 같은 날
이런 접전
상황이라면

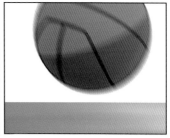

재유의 공격을
아낄 이유가 없지.

뚫었다!

108

와아아악!!!
나이쓰!!!

봤나, 기상호!!!
저게 더블클러치라고!

잘한다,
진재간둥이!!!

진재간둥이···?

침착해…

7초 정도면
할 거 다 할 수 있어.

진재유…

분명 잘하는
놈이지만 디펜스는
별거 없어.

스틸만
조심하면 돼.

쫄지 말자.
상대는
나보다 작아.

평소보다 쉽게
슈팅 시도를
할 수 있어.

무조건
이긴다.

118

시간상
우리의 마지막 공격이
될 듯한데…

타임아웃은
이미 다 썼고…

……

재유!

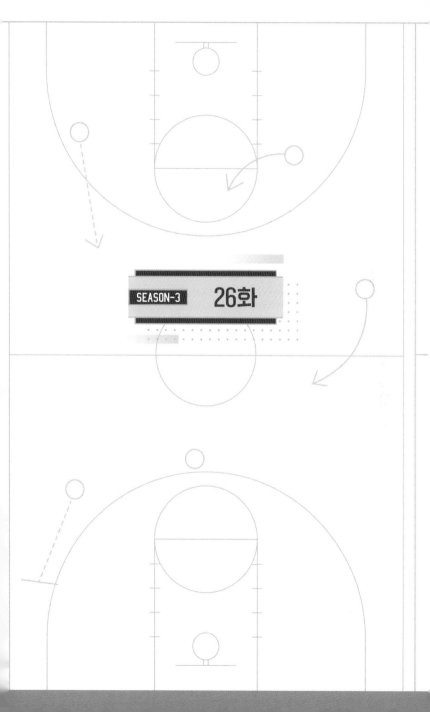

SEASON-3 26화

GARBAGE TIME

오!

일대일인가!?

진재유…

내가 너…

이번만큼은
막는다.

어흑!

빠쟈잇!!!

투샷이다!

시간상 진훈정산
공격 기회는
한 번뿐인데…!

00 : 21
지상고   진훈정산
4
76 : 75

128

자유투 두 개 다 들어가면 진짜 힘들어진다!

재유 햄! 두 개 다 못 넣으면 뒤질 준비하세요!

마! 햄한테 말하는 싸가지가 그기 뭐고!?

자유투 1구!

하나만…

130

리바운드!!!

그에아악!!!

00 : 21

|상고   진훈경

4

77 : 75

2점 차다!

진훈정산
타임아웃!

134

감독님.

제가
일대일 할게요.

……

일대일…?

자신 있어?

네.

아까 붙었을 때
확실히 알았어요.

이번에도
제가 이길 거예요.

...

좋아.

원샷이다.

네.
1초도 안 남기고
던질게요.

그렇다고
너무 시간 의식하진 말고
찬스 나면 주저 말고 던져.

리바운드 싸움은 우리가 우위니까.

네.

2점이든 3점이든 상관없으니까 편하게 해.

2점만 넣고 연장 가도 유리한 건 우리다.

네.

달려들지 마!

시간 보내게 놔둬!

00 : 11

상고   진훈정

4

77 : 75

…

못 넣으면

여기서 은퇴인가….

아냐,
괜찮아.

오늘 이겨도
다음 경기로 미뤄지는 거뿐이지
이번 대회가 마지막이란 건
똑같아.

오늘 이기든
지든…

내 손으로
직접 결정하는 거야.

아쉬움이
남지 않도록….

뭐 할지는
정했니?

네.
미술 학원에
다니기로 했어요.

그림을
배우려고….

하하,
결국 그렇게
됐구만.

짐작은 하고 있었다.
네 어머니께서도
그림을 그리는 분이시니.

기정이 너도 항상
시간 남을 때면
공책에 뭔가
끄적이곤 했잖냐.

그림은
그렇지 않아.

물론 억지로
기준을 제한하는 방식으로는
승패를 나눌 수 있을지도
모르지.

어떤 그림이
더 테크닉적으로
우월한가?

어떤 그림이
더 유명하고
비싼가?

어떤 그림이
더 독창적인가?

이런 식으로
말야.

하지만…

어떤 세계적인
명화보다도

좋아하는 사람의
얼굴을 바라보는 게

훨씬 더
행복한 법이거든.

142

......

말씀드렸지만…
농구에 미련이 남은 건
절대 아니에요.

전 그림 그리는 게
더 행복해요.

근데… 농구를
너무 어렸을 때부터
해서 그런가….

제 삶이 통째로
부정당한…

통째로 실패해버린
기분이 들어요.

실패한 게
아냐.

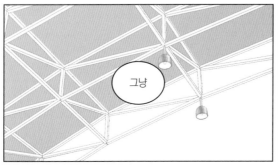

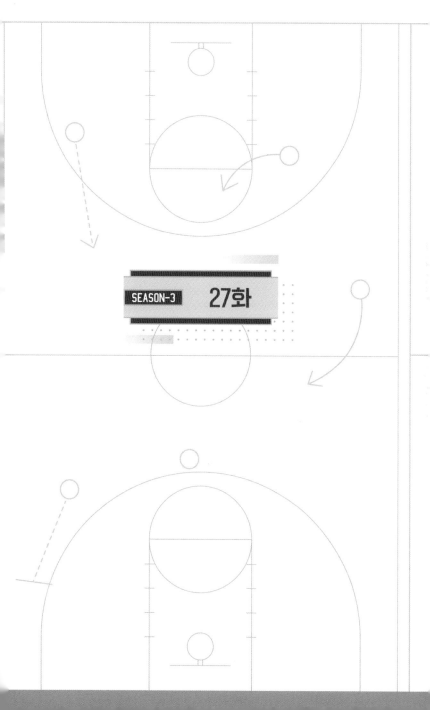

SEASON-3 27화

GARBAGE TIME

한…

국프로…

농구…

공식경…

기구!

와~
이제 빨리빨리
잘 읽네?

기정아!
한 명 모자라다!
이리 와!

......

장도고,
최종수…

그 외의 다른 아이들에게
뒤처졌던 게 이번 일의
스위치가 됐을지는 몰라도

애초부터 기정이는

매번 승패를
나눠야 하는 삶과는

하지만…
그렇다면

기정이는 왜
돌아온 걸까요?

그야

친구들이랑

한 게임이라도
더 공놀이를
같이하고 싶은

어린애니까요.

그때처럼요.

쌍용기 전국남녀고교농구대회

4강

지상고등학교 ： 진훈정보산업고등학교

79 75

경기 종료

지상고 결승 진출

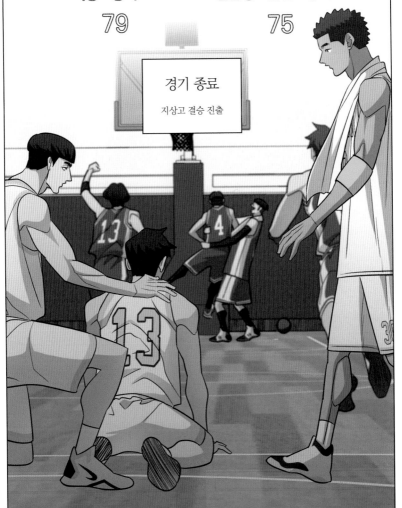

농구...

석이 자식…

그렇게
기정이 생각하는 척
말하더니

결국 자기도
기정이랑 같은
마음이었으면서 말야.

감독님…

결승 진출
축하드립니다.

좋은
게임이었습니다.

참,

지상고엔

장도고… 최종수를
이번에 처음 만나게 되는
아이들이 있나요?

남자부 결선 대진표

남고부

지상고 강문고   진훈   주용   장도고 조형고   종원   원중고
              정산   상고   공고

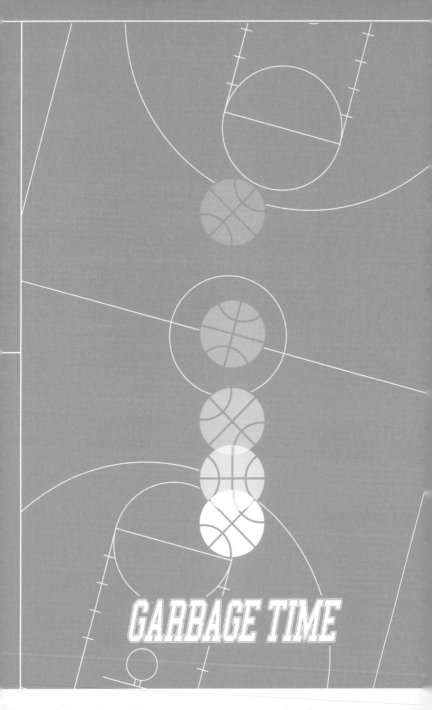

GARBAGE TIME

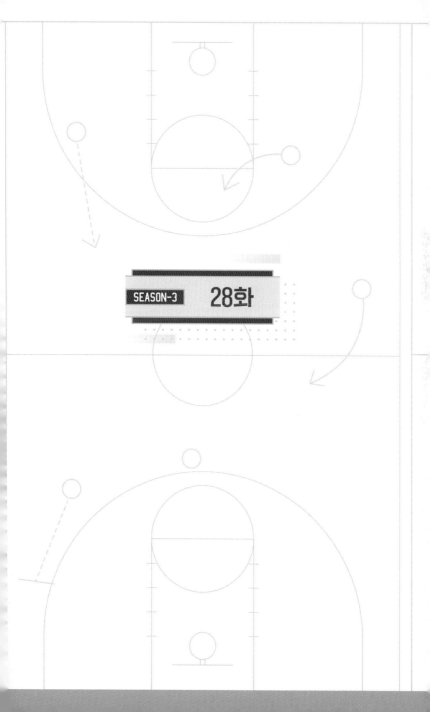

SEASON-3　28화

GARBAGE TIME

아, 왜 안 깨웠어?

잠들면 몸 굳는단 말야.

중간에 깨웠는데 니가 짜증 냈잖아.

그랬나…?

종수 너 어제도 잠 못 잤어?

그냥 조금 설쳤어요.

……

와, 오늘 진짜 개힘드네.

두 게임 뛴 느낌이다.

햄들!
또 봐요!

좋은
게임이었습니다!

농구 한 게임
같이했으면 우린
모두 친구!

……

동고속

아 씨…

왜 이번엔
또 여기서
염병이야?

뭐야?
지상고 너네들이
여긴 왜 왔어?

오늘 게임
뛰지도 않았잖아?

하나도
안 보이던데?

오늘 샤워는
하지 말고 자라.

땀도 안 흘렸는데
자꾸 그렇게 물을 낭비하고
그러다가 진짜 우리나라
물 부족 국가가 될지도
모른다고.

하하
농담이야, 농담.

화난 거
아니지?

야.

너 최종수랑
매치업 해봤지?

최종수 막을 때 유용한 팁 같은 거 뭐 없냐?

JISANG

······

있지.

최종수를 상대할 땐

딱 세 가지만 기억하면 돼.

첫째,

최종수를 죽기 살기로 쫓아다니면서 컨테스트한다.

둘째,

최종수의 슈팅이 빗나가길 기도한다.

셋째,

**최종수의 슈팅이
빗나가기를
간절히 기도한다.**

끝.

아무리 최종수라도
모든 슈팅 찬스를
다 살리진 못한다고.

......

내놔
XX아.

와~!
다 먹었다~!

니네 최종수 별명이 뭔 줄 알아?

'인간 태풍'이야, '인간 태풍'.

남고부에선 사람 힘으로 막거나 뭐 어떻게 손쓸 수가 없는 자연재해 같은 놈이라는 거지.

그러니까 최종수를 막을 궁리보다는 다른 장도고 녀석들을 막을 방법이나

니네 팀 공격 효율을 높일 방법을 생각하는 쪽이 경제적일 거야.

뭐?

그래봤자
뭐

이길 순
없겠지만.

아니,
그렇잖아.

우리도 힘든 걸
니네가 어떻게
하냐고?

너네 농구
개못하잖아.

우리한테—
진 놈들이…

별명 있던데?

뭐, 뭔데요!?

와…
인간 태풍이라니
별명 완전 까리한데…

까리하긴,
X라 짜치는구만.

트라X건에 나오는
X슈 더 스X피드 같다…

그게 대체 뭔데
X덕아.

내도 그런 까리한
별명 하나 있었으면…

지상고—

179

『언럭키 전영중』

어, 언럭키
전영중이라니…!

뭔가 기분 좋으면서도
기분 나쁜데요…!?

또 있어.

기상호와 김다은을
묶어서 말하길…

지상고
『패트와 매X』

패X와 매트라니! 이거는 대놓고 안 좋은 뜻이잖아요!

누가 대체 그런 별명을…!

맞음! 하나도 재미없음!

하나 더 있어.

불안하니까 그만해요!

지상고 트리오,

『개노답 삼형제』

야, 괜히
문제 일으키지 말고
돌아가자.

준수야~
다음 경기에선
득점 좀 잘해봐!

아무리 그래도
수비 전문인 상호보다
못 넣은 건 심했어!

니가 득점을 못 하니까
재유 혼자
너무 고생이더라.

닥쳐
럭키 기상호 X끼.

네? 아직 아무것도
못 샀는데…!

문제는 자기가
일으켰으면서….

니
뭐라 했냐?

……

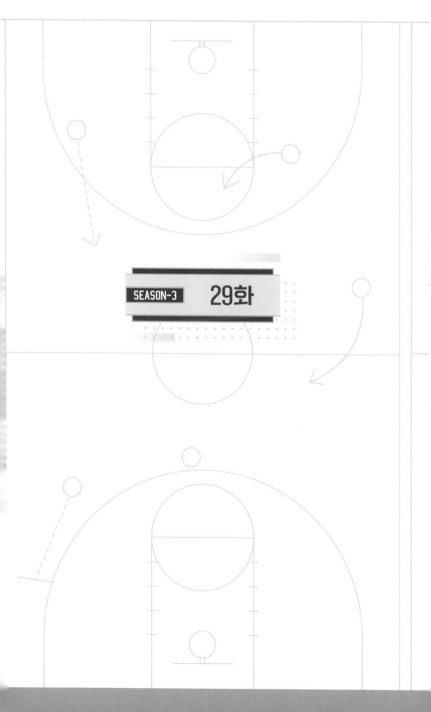

SEASON-3   29화

GARBAGE TIME

그래도 쉽네.

상호보단.

수비 전문…

기상호…

상호…
흔한 이름이긴
한데…

언럭키 전영중…

흠…
최종수를
막는 방법…?

너라면
어떻게 할 건데?

현성이.

〈포토뉴스〉'이 공은 내 거야!'

쌍용기전국남녀고교농구대회 4강전에서 지상고등학교가
진훈정보산업고등학교를 꺾고 결승에 진출했다. 지상고등학교
단 여섯명의 선수단으로 결승에 진출하며 농구팬들 사이에서 소

아!!!

왜 하필
이 사진인데!!!

오!

시작한다!
시작한다!

종수야. 저번처럼
쉽게 쉽게 가자.

어.

자, 셋에
'우승'.

하둘셋…

191

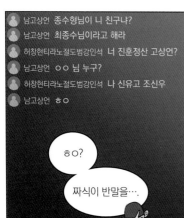

남고상언 종수형님이 니 친구냐?
남고상언 최종수님이라고 해라
허창현티라노절도범강인석 너 진훈정산 고상언?
남고상언 ㅇㅇ 님 누구?
허창현티라노절도범강인석 나 신유고 조신우
남고상언 ㅎㅇ

ㅎㅇ?

짜식이 반말을….

남고상언 ㅇㅇ 님 누구?
허창현티라노절도범강인석 나 신유고 조신우
남고상언 ㅎㅇ
알뜰한남자 신유고 거기 농구 잘하는 데 아님?

우리가 좀
하긴 하지.

히히

허창현티라노절도범강인석 나 신유고 조신우
남고상언 ㅎㅇ
알뜰한남자 신유고 거기 농구 잘하는 데 아님?
남고상언 진훈정산이 더 잘함 우리가 거기 이겼음

뭐라는 거야,
이 자식이…!

남고상언 진훈정산이 더 잘함 우리가 거기 이겼음
노약자석박스아웃일타강사조신우 뭐래 작년에운좋게
한번이긴거가지고——
허창현티라노절도범강인석 그때 인석이 설사병나서
뛰지도못했어——
다이노TV 제 채널 한번씩만놀러와주세여

어창연니니도설노림싱인식 그때 인석이 설사병
뛰지도못했어——

다이노TV 제 채널 한번씩만놀러와주세여

알뜰한남자 님들 근데 오늘 누가이길거같음?

9 대 1로

장도고 우세.

9 대 1이요?

아무래도
원중고는 이번 대회에
주전 한 명이 빠진 채로
나왔으니까.

베스트 멤버였다면
8 대 2까지 봤을 텐데.

우리 오늘
어데 응원해야 되노?

당연히
원중고임.

원중고가
결승 상대인 게
그나마 편함.

그럴 가능성은 적지만

오케이 접수.

하나, 둘, 셋,

원중고 빠이팅!!!

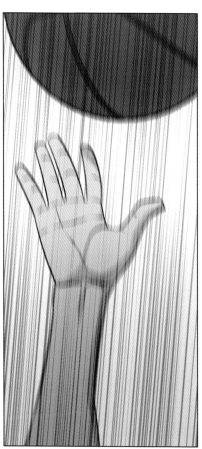

오케이!

운 좋게
전영중 앞으로
떨어졌다!

원중고
공격부터!

오

재석 햄 정도면
최종수가 마크하지 않을까
싶었는데

이규가
마크하네요?

최종수가 공격 상황에서
에너지를 집중할 수 있도록
중요한 수비는 이규한테
맡기는 거겠지.

주득점원 역할에
상대 팀 에이스 수비까지
동시에 하는 거는 체력적으로
부담이 상당할 테니.

보래이.

전영중이가 원중고에선 제일 득점 비중이 낮으니까 저리로 가 있는 거라고.

야.

너 기상호 알지?

걔 잘해?

뭐야? 갑자기 말을 다 걸고….

지상고 걔? 음…

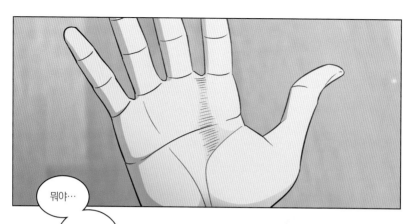

뭐야…

오늘
나 완전

A급이잖아…?

202

지금…!

굿패스!

오케이!
잘 빼줬다!

3점!

206

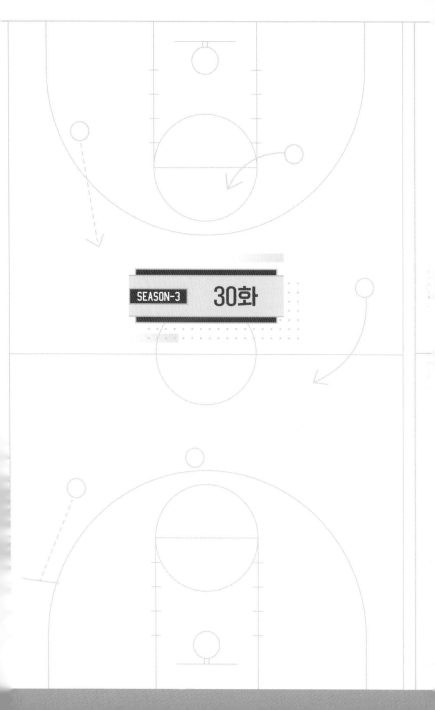

SEASON-3 30화

GARBAGE TIME

리바!

속공 3점!?

굿샷!

조재석
뭐야!?

09 : 34
장도고   원중고
1
9 : 6

연속 3점!

또 패스.

최종수가
생각보다 소극적으로
나오네.

지난번에 전영중이
최종수를 21점으로
막았다는데
그 때문인가?

……

너도 우리가 질 거라 생각하는 모양이지?

아, 그런 거는 아이고….

됐다, 누가 봐도 전력상 열세인 게 사실이니.

하지만 장도고가 고등부에서 최고라 불린다 해도 약점이 없는 건 아니다.

주찬양을 제외하곤 외곽 지원이 불안해서 코트도 꽤 좁게 쓰는 데다가

주전 의존도도 높고…

뭐 이건 벤치의 기량 부족이라기보단 주전이 워낙 강한 탓이지.

주전 멤버밖에 없는 너희한테 할 말은 아니다만

공격 전술도 선수 개인 능력에 의존한 히어로볼.

나쁘게 표현하자면 막농구다.

결론을 얘기하자면

외곽숏 성공률이
'비교적' 떨어지는
이규에게 슈팅을 몰고

최종수를
*더블팀 한다.

*공을 소유한 선수를 두 명의 수비자가 막는 것.

정답은 이것뿐.

다른 방법은
없어.

218

불안한 방법이긴
하지.

이규의 슈팅이
좋다곤 할 수 없지만
그렇다고 슈팅을 몰아도 될 만큼
나쁜 것도 아니니.

만약 이번 경기에서
이규의 외곽슛 성공률이
평소보다 높다면

우리는 진다.

평소만큼이라면

우리는 진다.

평소보다
낮다면

이길 수 있을지도
모른다.

리바운드!

오케이!

*히트체크!?

*선수가 본인의 슛감을 믿고 다소 무리한, 섣부른 슈팅을 시도하는 것.

…!!!

뭐야 이게!?

09 : 18

창도고   원중고

1

0 : 9

1분도 안 돼서
9점…!

장도고 이거 오늘
위험한 거 아냐!?

조재석 벌써
3점 세 개째야!

조재석 저 자식
완전 사파라니까….

이건 확실해!

오늘은 분명히

'조재석의 날'이다!

참…

오늘 슛이
안 들어가줄
느낌인데.

와, 방금은 수비가
쳐져 있었는데도
힘으로 쑤셔넣네….

이규가

숏이 안 들어가는
날이라고 해서

쓸모없어지는 놈은
아니거든.

229

14권에서 계속

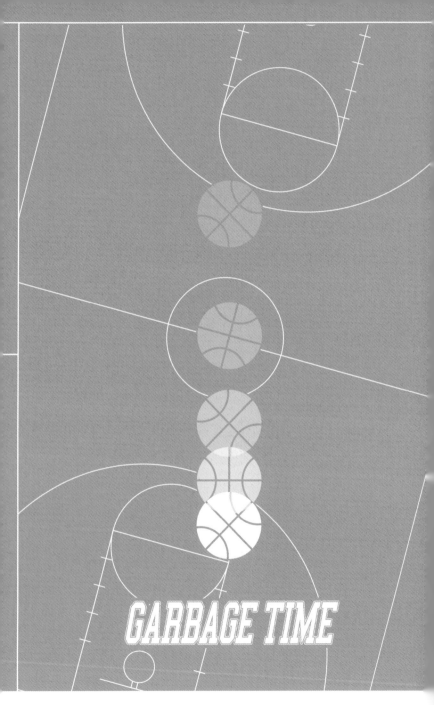

가비지타임 13

초판 1쇄 발행 2024년 5월 1일
초판 2쇄 발행 2024년 6월 10일

지은이 2사장
펴낸이 김선식

부사장 김은영
제품개발 정예현, 윤세미 **디자인** 정예현, 정지혜(본문조판)
웹툰/웹소설사업본부장 김국현
웹소설팀 최수아, 김현미, 심미리, 여인우, 이연수, 장기호, 주소영, 주은영
웹툰팀 이주연, 김호애, 변지호, 안은주, 임지은, 조효진, 최하은
IP제품팀 윤세미, 설민기, 신효정, 정예현, 정지혜
디지털마케팅팀 김국현, 김희정, 신혜인, 이소영
디자인팀 김선민, 김그린
저작권팀 한승빈, 윤제희, 이슬
재무관리팀 하미선, 김재경, 윤이경, 이보람, 임혜정 **제작관리팀** 이소현, 김소영, 김진경, 박예찬, 이지우, 최완규
인사총무팀 강미숙, 김혜진, 지석배, 황종원 **물류관리팀** 김형기, 김선민, 김선진, 전태연, 주정훈, 양문현, 이민운, 한유현

펴낸곳 다산북스 **출판등록** 2005년 12월 23일 제313-2005-00277호
주소 경기도 파주시 회동길 490
전화 02-702-1724 **팩스** 02-703-2219 **이메일** dasanbooks@dasanbooks.com
홈페이지 www.dasan.group **블로그** blog.naver.com/dasan_books
종이 더온페이퍼 **출력·인쇄·제본** 상지사 **코팅·후가공** 제이오엘엔피

ISBN 979-11-306-5183-5 (04810)
ISBN 979-11-306-5170-5 (SET)

다산북스(DASANBOOKS)는 독자 여러분의 책에 관한 아이디어와 원고 투고를 기쁜 마음으로 기다리고 있습니다.
책 출간을 원하는 아이디어가 있으신 분은 다산북스 홈페이지 '원고투고'란으로 간단한 개요와 취지, 연락처 등을 보내주세요.
머뭇거리지 말고 문을 두드리세요.